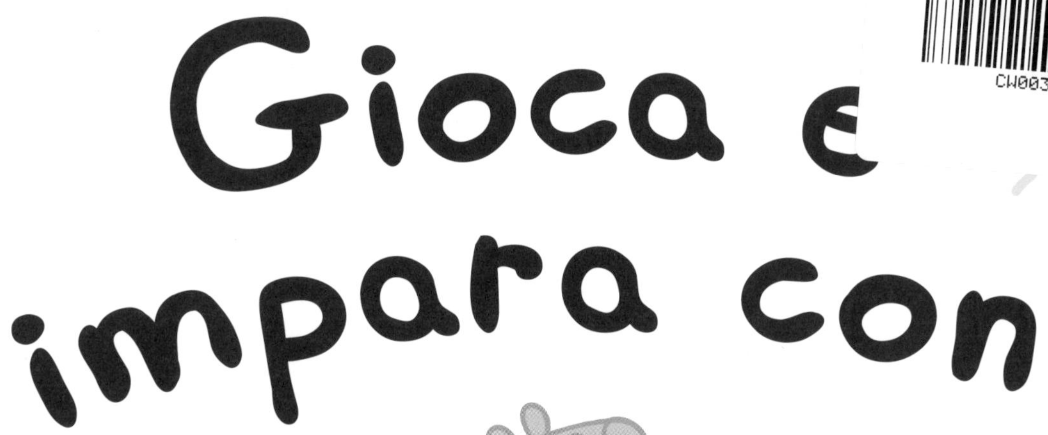
Gioca e
impara con

Peppa Pig
TM
hip, hip, urrà per Peppa!
A
1
B
2
C
3
GIUNTI Kids

Impara l'alfabeto con Peppa!

APE ape

BANANA banana

CASA casa

DRAGO drago

ELEFANTE elefante

Completa le pagine con gli stickers!

FATA fata

Gg

GELATO gelato

HOTEL hotel

INSALATA insalata

JOLLY jolly

KIWI kiwi

LATTE latte

MELA mela

NIDO nido

OMBRELLO ombrello

PALLA palla

QUADRO quadro

RANA rana

SOLE sole

TORTA torta

UVA uva

VOLPE volpe

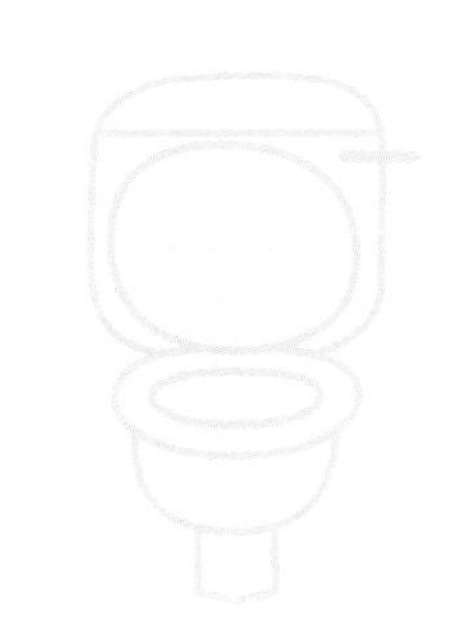

WATER water

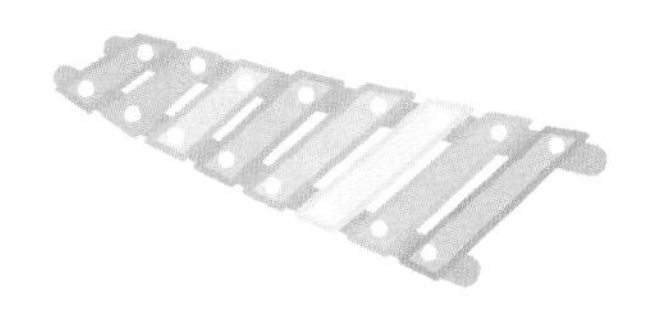

XILOFONO xilofono

YO-YO yo-yo

ZEBRA zebra

Come iniziano i nomi di questi oggetti? Per ogni oggetto, cerchia la lettera giusta.

Cerchia l'oggetto che inizia con la lettera nella nuvoletta.

Completa le parole con la lettera nella nuvoletta e colora il disegno.

Completa con la T

_OR_A

Completa con la P

_E_ _A

Completa con la L

GA_ _O

Completa con la G

_EOR_E

Completa con la R

TA_TA_UGA

Completa con la M

_A_ _A

Completa con la C

HIO _IOLA

Scrivi e impara i nomi degli amici di Peppa.

PEPPA PIG

PEPPA PIG

REBECCA CONIGLIO

REBECCA CONIGLIO

SUZY PECORA

SUZY PECORA

EMILY ELEFANTE

EMILY ELEFANTE

PEDRO PONY

PEDRO PONY

CANDY GATTO

CANDY GATTO

DANNY CANE

DANNY CANE

ZOE ZEBRA

ZOE ZEBRA

Impara i numeri con Peppa!

1 uno

2 due

3 tre

4 quattro

5 cinque

6 sei

7 sette

8 otto

9 nove

10 dieci

Osserva i disegni e rispondi alle domande, scrivendo il numero giusto nelle nuvolette.

Quanti [mattoncino] ci sono sul tavolo?

Quante [gallina] riesci a vedere?

Quante ▢ ha la casa?

Quanti 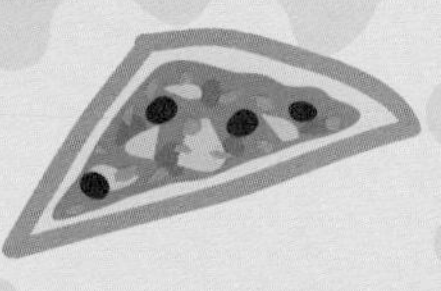 conti in tutto?

Conta i pupazzi qui sotto e poi scrivi il numero giusto nelle nuvolette.

Unisci i puntini da 1 a 10, scopri il disegno misterioso e poi coloralo!

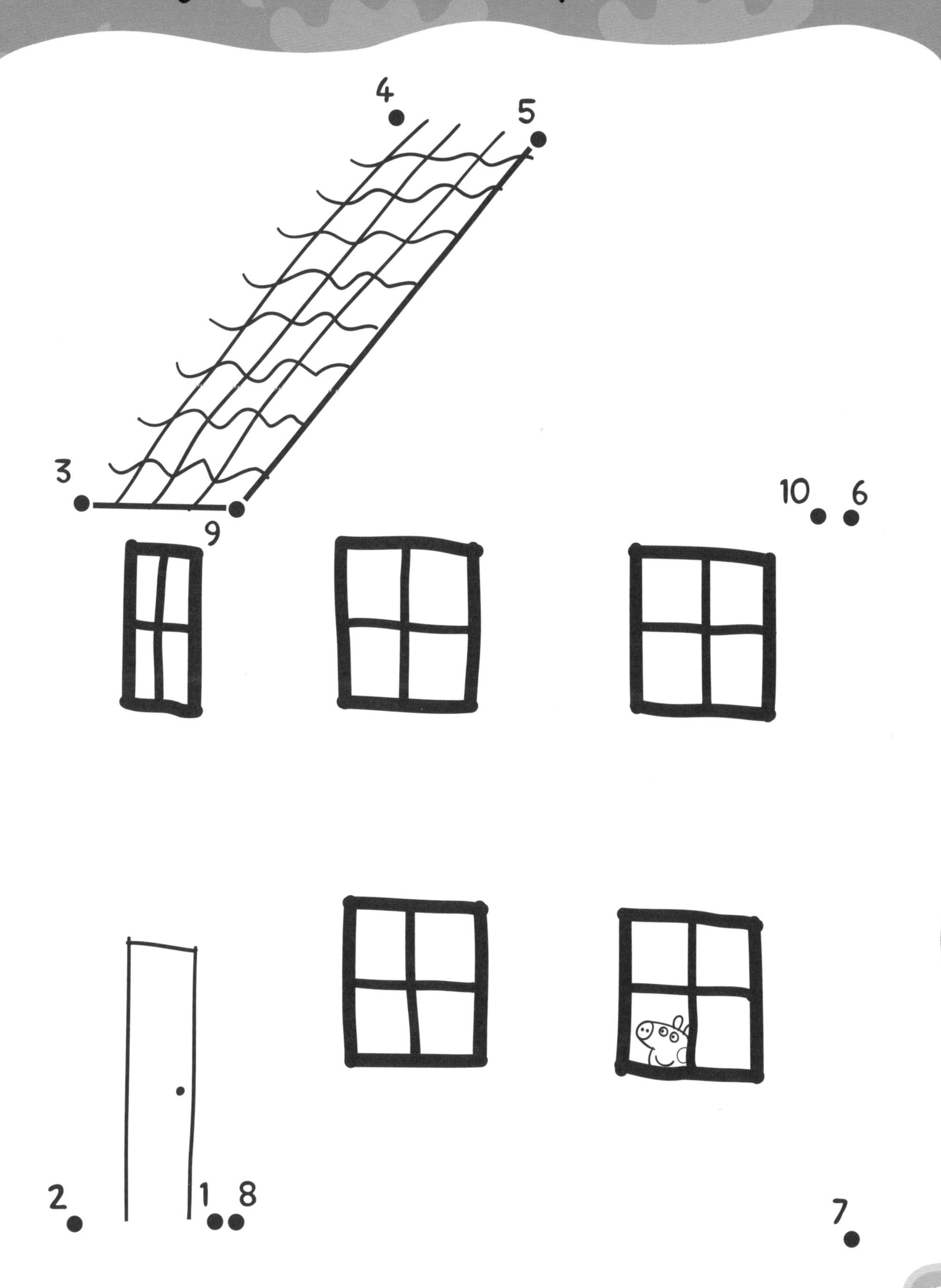

Collega con una freccia le banane, le mele, le pere e le uova al numero giusto.

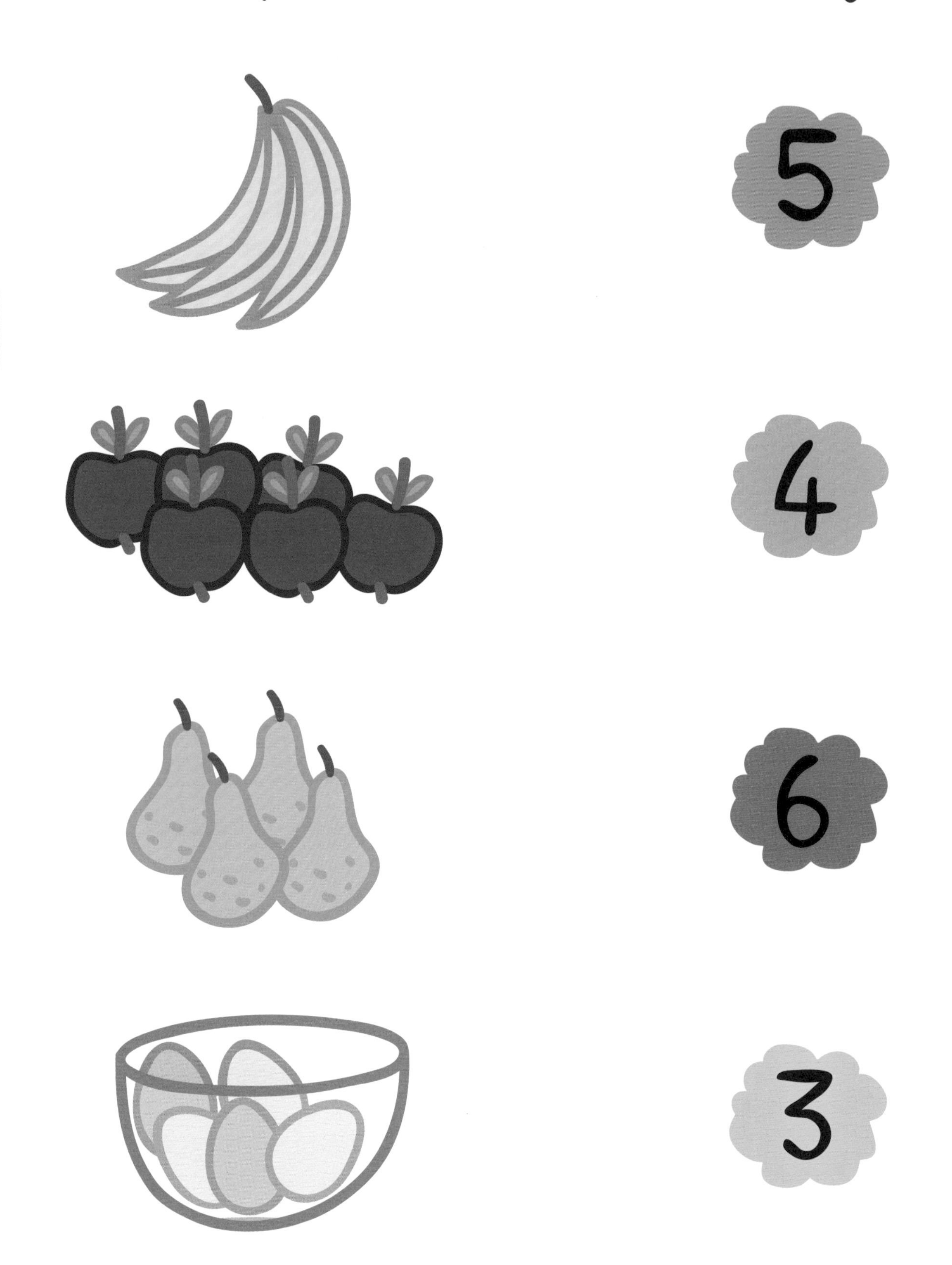

Completa il disegno seguendo le indicazioni dei numeri.

1 2 3 4 5

Impara i colori con Peppa!

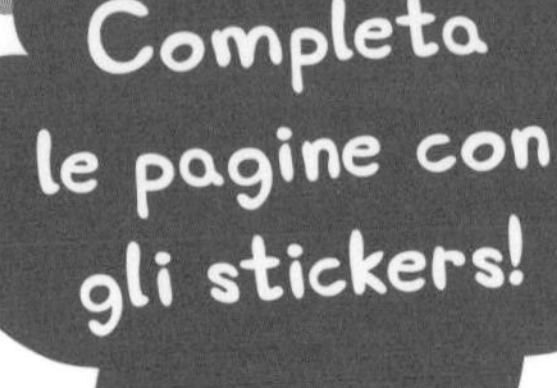

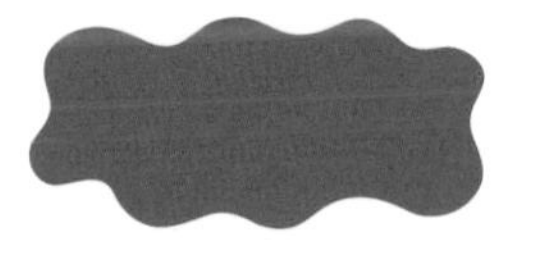 rosso 

 giallo 

 blu 

 arancione 

 verde 

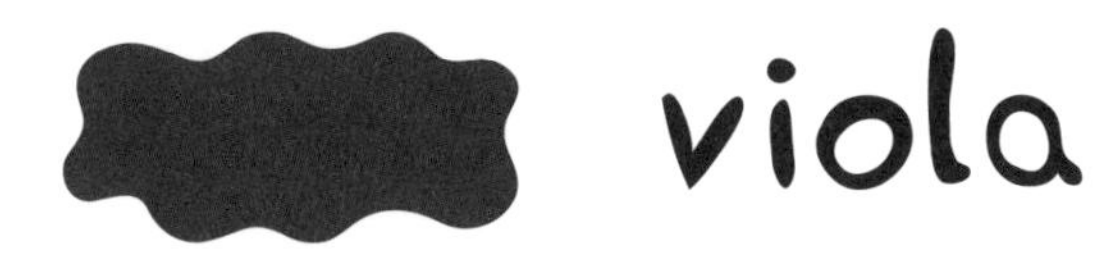

viola

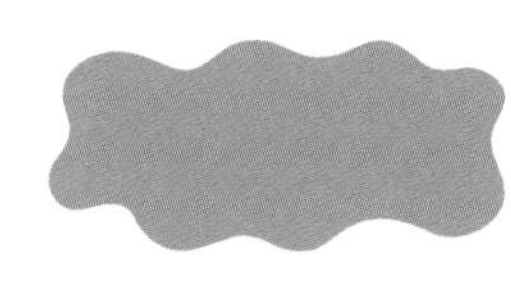

rosa

azzurro

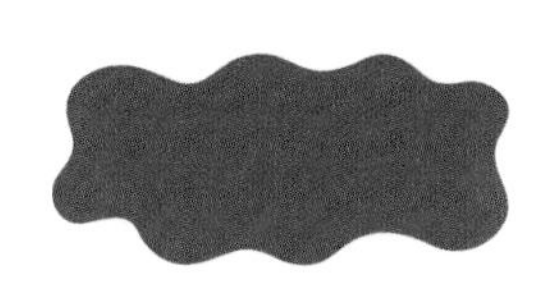

marrone

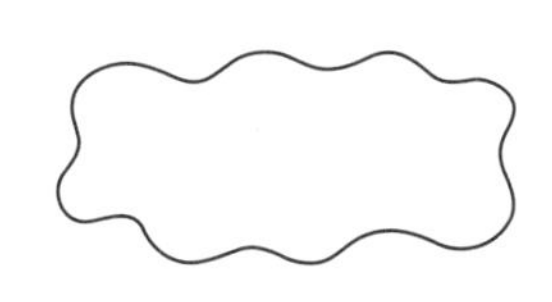

bianco

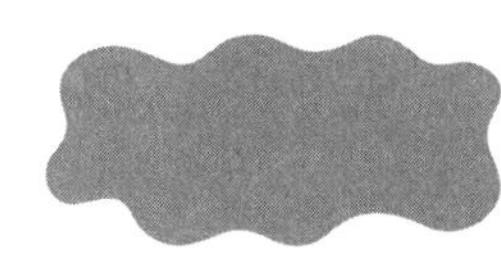

grigio

nero

Colora il disegno seguendo
le indicazioni delle matite colorate.

Colora il disegno seguendo
le indicazioni dei puntini.

Colora con il GIALLO.

formaggio

corona

papera

Colora con l'ARANCIONE.

carota

marmellata

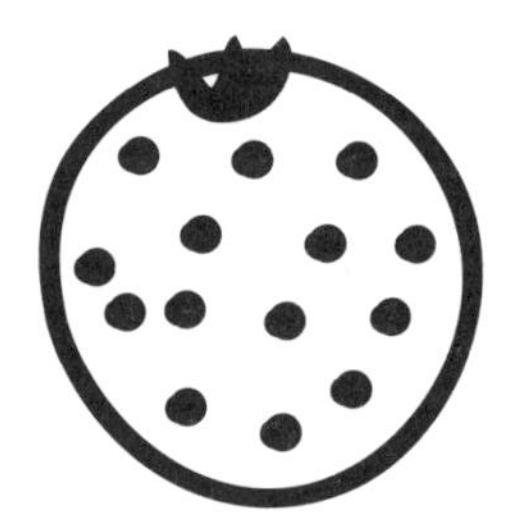

arancia

Colora con il ROSSO.

mela

automobile

granchio

Colora con il ROSA.

teiera

cappello

vestito di Suzy

Colora con il VERDE.

insalata

rana

dinosauro

Colora con il BLU.

ombrello

furgone

seggiolone

Collega ogni oggetto al colore giusto.

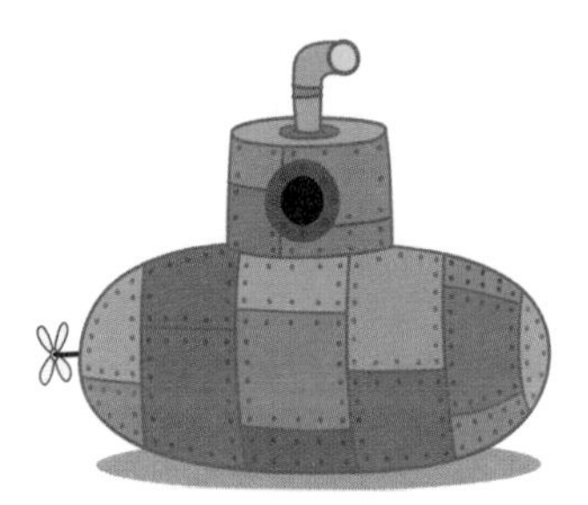

Peppa e le sue amiche hanno lo zainetto dello stesso colore del vestito. Collega ognuna di loro allo zainetto giusto!

Peppa sta organizzando una festa.
La mamma ha preparato cappellini
e palloncini. Peppa vuole il cappellino rosa
e il palloncino azzurro. Trovali, cerchiali
e poi colora Peppa nel modo giusto.

Impara le forme con Peppa!

cerchio

quadrato

rettangolo

triangolo

rombo

ovale

Collega con una freccia ogni oggetto alla forma giusta.

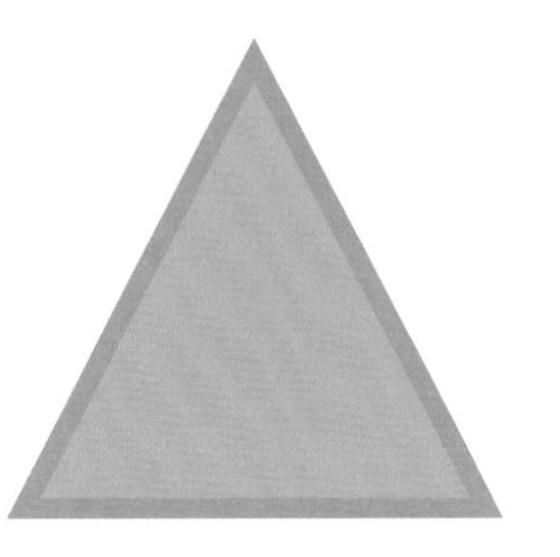

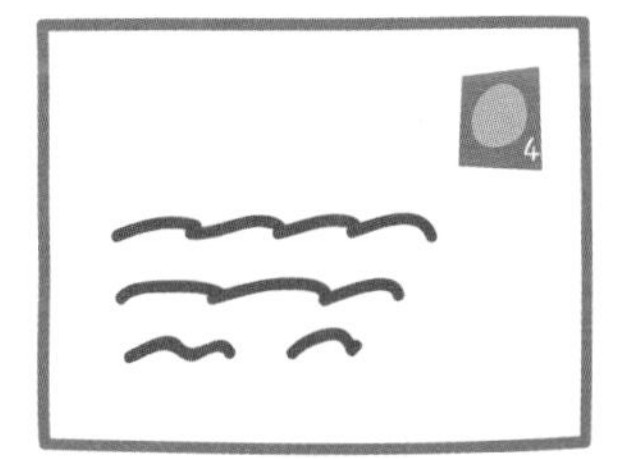

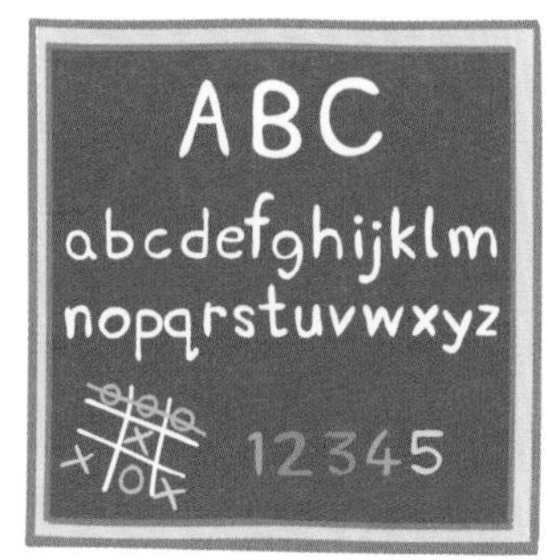

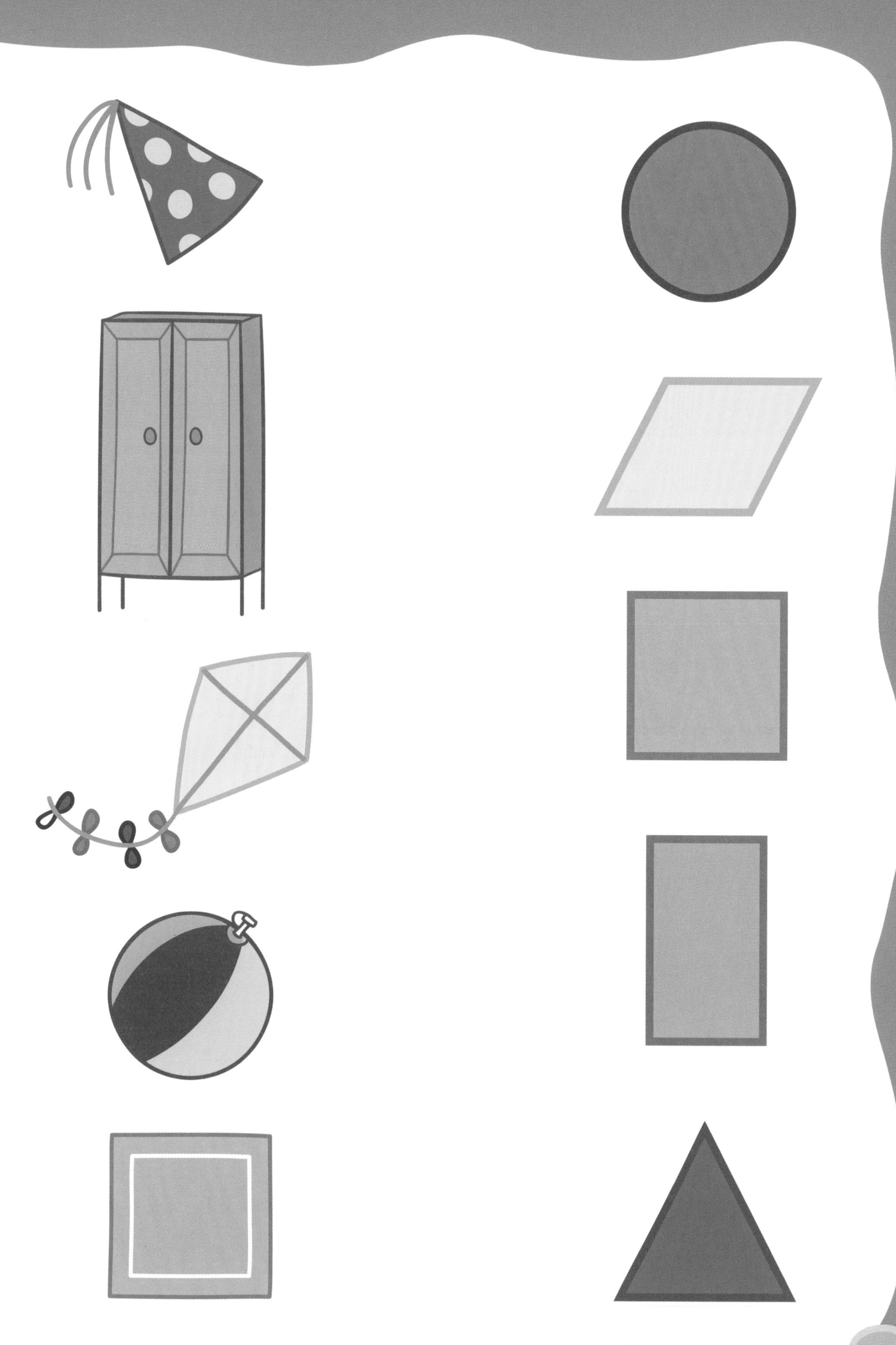

Osserva l'aula della scuola di Peppa.
Ci sono quadrati, cerchi, ovali e rettangoli: li vedi? Guarda i disegni nell'altra pagina e completa le frasi con la forma giusta.

la finestra è un Q U _ _ _ _ _ _

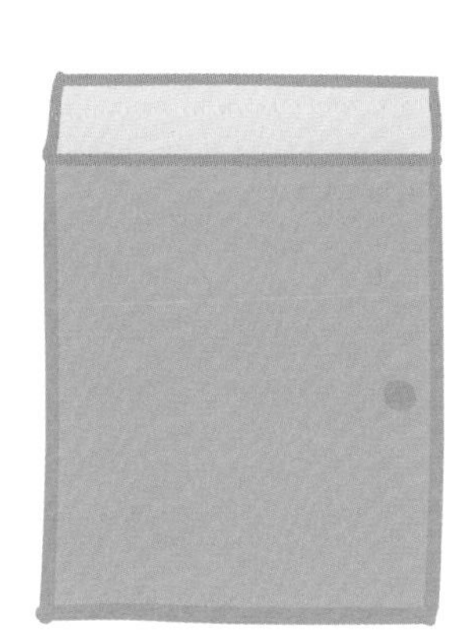

l'orologio è un

_ _ _ C H _ _

lo sportello è un

_ _ T T _ _ _ _ _ _ _

il tavolo è un _ V _ _ _

Impara gli opposti con Peppa!

grande - piccolo

pulito - sporco

felice - triste

giovane - vecchio

corto - lungo

lento - veloce

sopra - sotto

fuori - dentro

pieno - vuoto

tanti - pochi

davanti - dietro

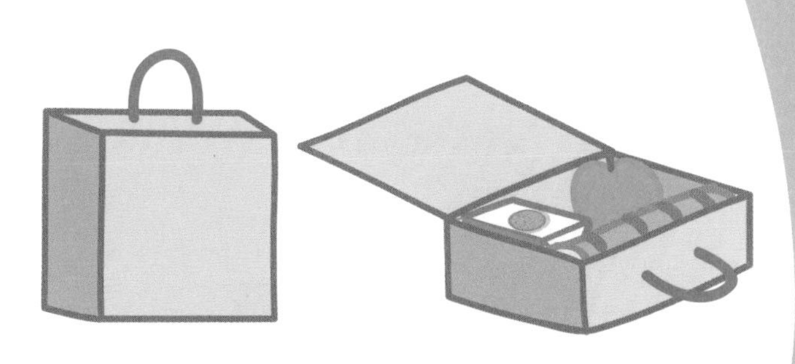

chiuso - aperto

Collega gli opposti con una freccia!

grande

corto

vecchio

pieno

vuoto

giovane

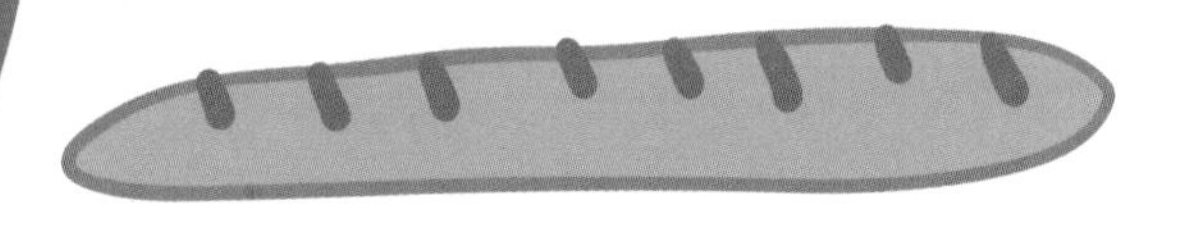

lungo

piccolo

fuori

veloce

lento

aperto

tanti

dentro

chiuso

pochi

Colora i fili che collegano fra loro gli opposti giusti.

Chi sta sopra e chi sotto? Chi davanti e chi dietro? Collega le parole alle immagini.

Impara l'inglese con Peppa!

1	ONE	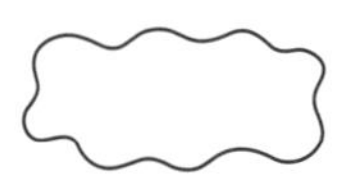	WHITE
2	TWO		YELLOW
3	THREE		ORANGE
4	FOUR		RED
5	FIVE		PINK
6	SIX	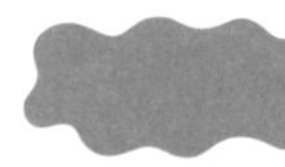	GREEN
7	SEVEN		BLUE
8	EIGHT		PURPLE
9	NINE		BROWN
10	TEN		BLACK

APPLE

PIG

FLOWER

CAT

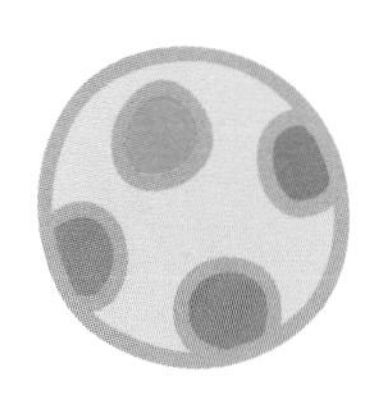

BALL

DOG

BOOK

ELEPHANT

BIKE

RABBIT

CAR

SHEEP

Scrivi il nome di ogni colore, seguendo il tratteggio.

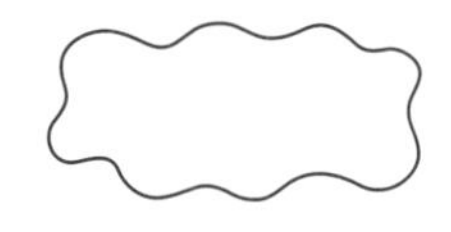

WHITE

GREEN

YELLOW

BLUE

ORANGE

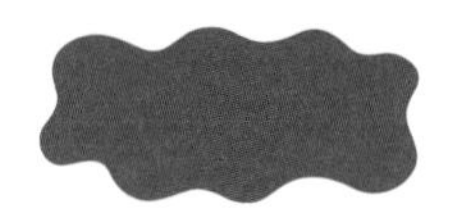

PURPLE

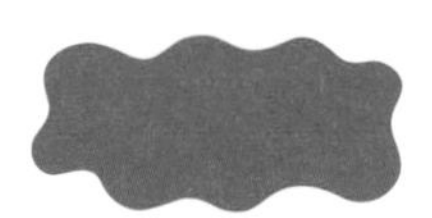

RED

BROWN

PINK

BLACK

Cerchia la parola giusta.

RABBIT  CAT

ELEPHANT  SHEEP

DOG  PIG

PIG  ELEPHANT

DOG  SHEEP

CAT  RABBIT

Conta gli oggetti di ogni gruppo
e scrivi il numero giusto in inglese:
a ogni trattino corrisponde una lettera!

_H___

____N

__V_

_W_

___H_

___R

Collega ogni oggetto alla parola giusta.

BIKE

BOOK

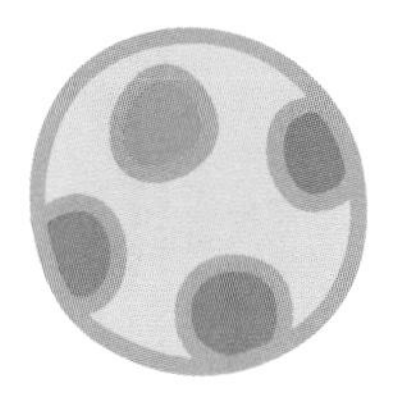

APPLE

FLOWER

CAR

BALL

Ciao Ciao